À mes frères,
Ronnie
et Michael
—K. D.

À mon
professeur d'arts
plastiques
au lycée,
madame Kim
—C. R.

Loi n° 49 956 du 16 juillet 1949
sur les publications destinées à la jeunesse
helium-editions.fr/

N° d'édition : JE 195
ISBN : 978-2-330-03399-6
Dépôt légal : second semestre 2014

Traduit de l'anglais (États-Unis) par Gilberte Niamh Bourget

Pour l'édition originale :
ATHENEUM BOOKS FOR YOUNG READERS
Un département de Simon & Schuster Children's Publishing Division
1230 Avenue of the Americas, New York, New York 10020

Graphisme d'Anne Bobco

Imprimé en juin 2014 en Chine par South China Printing Co., Ltd

Gaston

TEXTE DE **KELLY DIPUCCHIO**

IMAGES DE **CHRISTIAN ROBINSON**

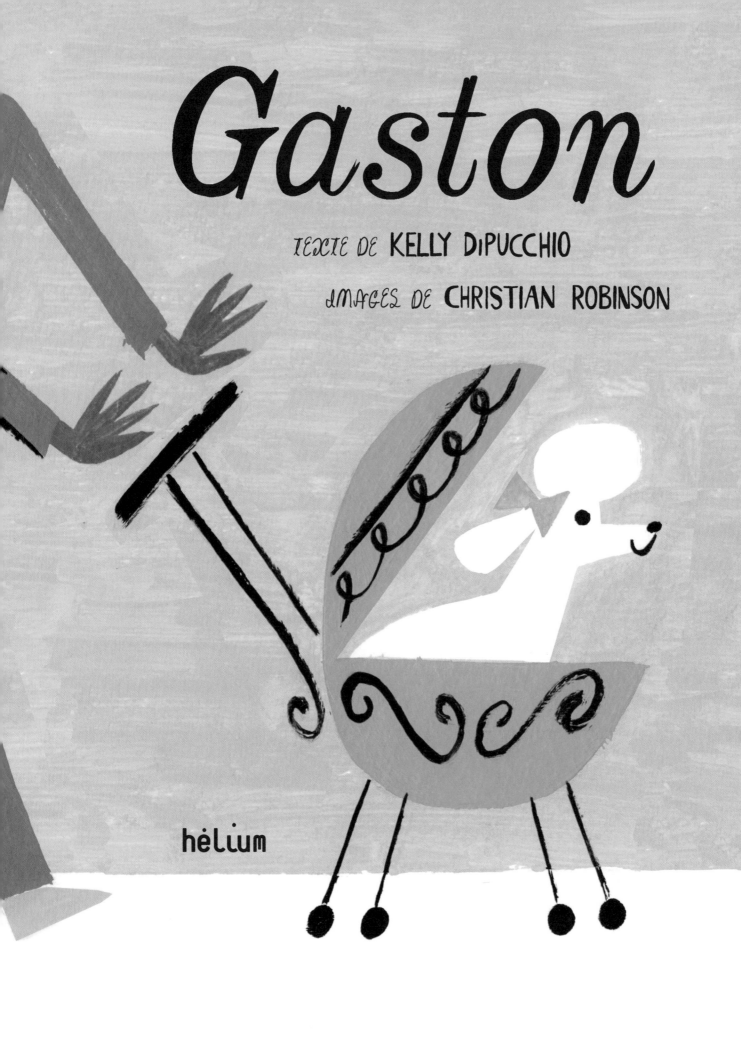

hélium

Madame Caniche admirait ses nouveaux chiots.

Fi-Fi,   *Chou-Chou,*   *Ouh-Là-Là,*   et *Gaston.*

Tu aimerais 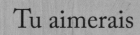 les voir encore une fois ?
Voici

Fi-Fi,

Chou-Chou,

Ouh-Là-Là,

et **Gaston**.

Absolument adorables, n'est-ce pas ?

Madame Caniche
pensait la même
chose que toi.
Les chiots ont grandi
(les chiots font ça).
Trois n'étaient
pas plus grands
que des tasses à thé.

Le quatrième, cependant, avait continué à grandir. Et à grandir encore.
Jusqu'à ce qu'il atteigne la taille d'une… *théière*.

Madame Caniche mettait un point d'honneur à apprendre
à ses chiots à devenir des chiens comme il faut.
Elle leur enseignait l'art de laper
à petites gorgées. *Ne jamais baver !*

« C'est bien. »

« Bravo ! »

« Parfait. »

« … peut mieux faire. »

Et à avancer avec grâce. *Ne jamais débouler !*

Petit.   **Pas.**   **Petit pas.**

WOUF !

Les chiots avaient aussi appris
à accessoiriser leurs tenues avec du rose,
à grignoter leurs croquettes,
et à se balader avec style.

Quelle que soit la leçon, **Gaston**
travaillait toujours le plus dur,
s'entraînait le plus longtemps,
et souriait de toutes ses dents.

Madame Caniche était très contente de tous ses chiots,

Ouh-Là-Là,
Chou-Chou,
Fi-Fi,
et **Gaston**.

Quand le printemps est arrivé, madame Caniche,
très fière, a eu très envie de faire admirer ses chéris.
Elle les a amenés au parc, pour leur première sortie en public.
Il y avait tant de choses à voir !

Des jonquilles, des canetons, des chiens…

Ça alors.
Qui avons-nous là?

RICKY,

ROCKY,

BRUNO,

et
ANTOINETTE.

Tu aimerais les voir encore une fois?

ROCKY,

RICKY,

BRUNO,

et
ANTOINETTE.

Quelque chose clochait.
Les mamans ont observé les chiots.
Les chiots se sont observés les uns les autres.

«Je crois qu'il y a eu un gros malentendu»,
a déclaré madame Bouledogue,
rompant le silence.

Madame Caniche a tristement acquiescé.
« Que va-t-on faire ? »
Madame Bouledogue n'en avait pas la moindre idée.
« Et si on les laissait décider ? » a-t-elle enfin répondu.

Gaston et **ANTOINETTE**
étaient jeunes, mais même
eux pouvaient voir qu'il y avait
eu confusion.
Les deux chiots ont commencé
à décrire des cercles autour
des autres.

Gaston avançait avec grâce.
ANTOINETTE déboulait.
Gaston jappait.
ANTOINETTE hurlait.

Et quand
enfin
ils se sont arrêtés…
les chiots
avaient échangé leur place.

Là.
Tout *avait l'air* bien…

... mais ça ne *collait* pas tout à fait.

Ce soir-là, **ANTOINETTE** a essayé de s'adapter
à ses nouvelles sœurs, mais elle n'aimait rien
de ce qui était rose, ravissant ou rare.

BEURK !

ANTOINETTE et *Gaston* n'étaient pas les seuls

à avoir du mal à s'adapter.

Le lendemain matin, madame Caniche a complètement oublié ses bonnes manières et a pratiquement déboulé au parc.

Madame Bouledogue était déjà là,
avec ses bébés bagarreurs.

«Il semble que *nous* ayons commis une énorme
erreur», a-t-elle presque crié.

«Oui, oui!» a acquiescé avec joie
madame Caniche.

Cette fois-ci, **Gaston** et ANTOINETTE
n'ont pas perdu de temps avant d'échanger leur place.

Voilà.
Tout avait l'air bien.
Et tout collait bien, aussi.

À partir de ce jour, les familles se sont retrouvées
chaque après-midi au parc pour jouer.

ROCKY, RICKY, BRUNO, et **ANTOINETTE,**
ont appris aux chiots caniches un ou deux trucs pour être plus dur.

Pareil: **Fi-Fi**, **Chou-Chou**, **Ouh-Là-Là**, et **Gaston**, ont appris aux chiots bouledogues un ou deux trucs pour être plus doux.

Et bien des années plus tard, quand **Gaston** et ANTOINETTE sont tombés amoureux et ont eu des chiots à leur tour, ils leur ont appris à être absolument tout ce qu'ils avaient envie d'être.

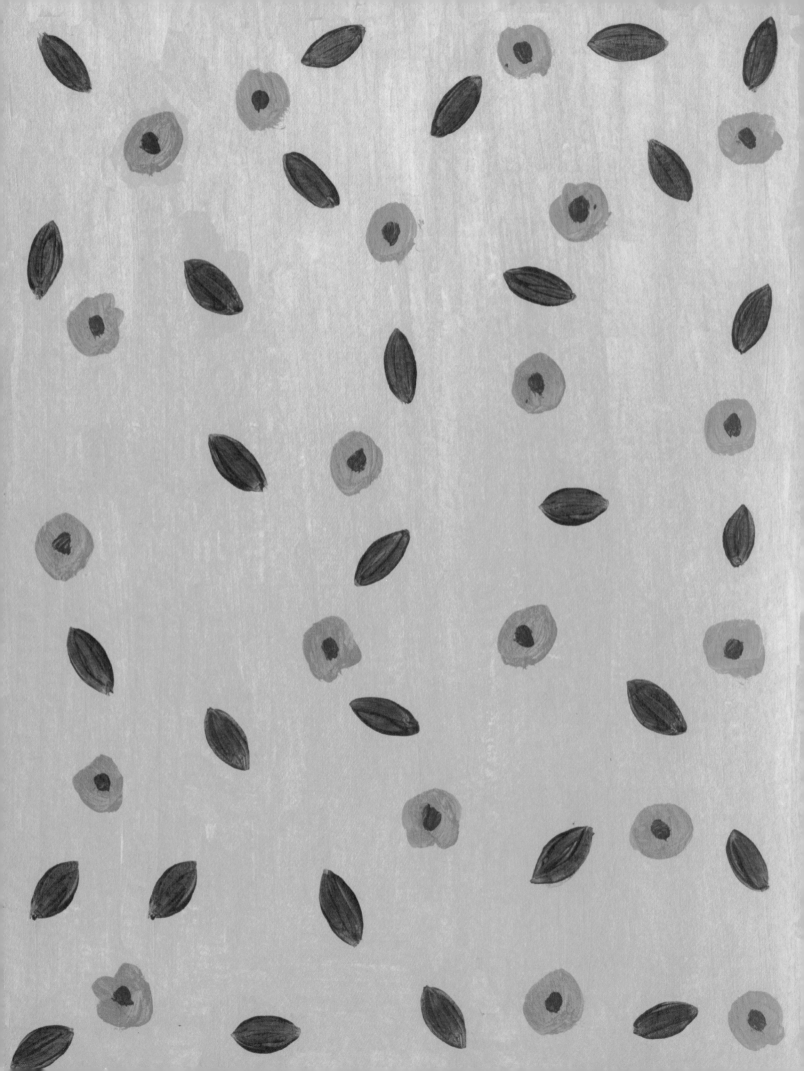